Hallo, liebe Schülerin, lieber Schüler!

Ich bin das neue Religionsbuch und begleite dich ein Jahr lang im katholischen Religionsunterricht. Relix hat mich schon einmal etwas genauer angeschaut und viel Interessantes gefunden: Bilder, Geschichten, Lieder, Erzählungen von Menschen, die in ihrem Leben Gott erfahren haben. Sie laden dich zum **Fragen** und Weiterfragen ein. Manche Geschichten und Bilder helfen dir, nach Antworten zu **suchen**, die für dein Leben wichtig sind. Es gibt viel über das Leben von Jesus zu **entdecken**. Du erfährst Interessantes von anderen Menschen und der Welt, in der du lebst.

Mach's wie Relix, schau mich genauer an und suche deine Lieblingsseite. Du kannst sie zusammen mit den Lieblingsseiten deiner Mitschülerinnen und Mitschüler in den Kreis legen und darüber sprechen.

Am Ende des Religionsbuches hat Relix etwas ganz Neues entdeckt: Da ist von einem „Ich-Buch" die Rede. Was das ist? Schau selbst nach! Relix hat sich schon ein dickes Heft gekauft und will ein richtiges „Relix-Ich-Buch" schreiben.
Ob du auch dazu Lust hast?
Deine Lehrerin, dein Lehrer wird dir sicher dabei helfen!

fragen – suchen – entdecken
Religion in der Grundschule 2

Herausgegeben von
Dr. Barbara Ort und Ludwig Rendle
mit Beratung von Prof. Dr. Lothar Kuld

Erarbeitet von
Konrad Bürgermeister, Paul Hartl, Anita Hofbauer, Andrea Wirth

Illustriert von Gabriele Hafermaas

MIX
Papier aus verantwortungsvollen Quellen
FSC® C004592

Verlagsgruppe Random House FSC® N001967
Das für dieses Buch verwendete FSC®-zertifizierte Papier
Luxoart Silk liefert Papyrus Deutschland GmbH & Co. KG, Ulm.

Zugelassen als Lehrbuch für den katholischen Religionsunterricht von den Diözesanbischöfen von Aachen, Augsburg, Bamberg, Berlin, Eichstätt, Essen, Hamburg, Hildesheim, Köln, Mainz (für den Bistumsanteil in Rheinland-Pfalz), München und Freising, Münster, Osnabrück, Paderborn, Passau, Regensburg, Speyer, Trier und Würzburg.
Folgt der aktuellen Rechtschreibung (2006)

5. Auflage 5 5 4 3 2 1 | 18 17 16 15 14
Alle Drucke dieser Auflage können im Unterricht nebeneinander verwendet werden.
Die letzte Zahl bezeichnet das Jahr des Druckes.

Umschlag: Kaselow Design, München,
unter Verwendung von Illustrationen von Gabriele Hafermaas, Immenhausen
Satz: Kösel-Verlag, München
Notensatz: Christa Pfletschinger, München
Druck und Bindung: Firmengruppe APPL, aprinta druck, Wemding
Printed in Germany
ISBN 978-3-466-50644-6 (Kösel)
ISBN 978-3-12-003252-6 (Klett)

www.klett.de
www.koesel.de

Kösel / Klett

Inhalt

GOTT, sei vor uns und leite uns.
GOTT, sei neben uns und begleite uns.
GOTT, sei hinter uns und schütze uns.
GOTT, sei unter uns und trage uns.
GOTT, sei über uns und öffne uns.
GOTT, sei in uns und schenke uns ein lebendiges Herz.

Gib uns Ohren

Kanon: Bernd Schlaudt

1 Miteinander sprechen Mit Gott reden

Was Kinder auf der Welt bewegt

O Gott, dir kann ich vertrauen
in jedem Kummer.
muslimisch

Ich danke dir,
dass du mich so
wunderbar geschaffen hast.
Psalm 139,14

➤ Zu manchen Sätzen in den Luftballons passen die Gebete auf dieser Seite. Zu anderen Sätzen kannst du eigene Gebete finden.

Wie wunderbar
hast du alles gemacht.
Psalm 104,24

Wenn ich Angst bekomme,
vertraue ich dir, mein Gott.
Psalm 56,4

Ich klage
wie ein einsamer Vogel
auf dem Dach.
Psalm 102,8

➤ Male einen eigenen Luftballon. Was schreibst du hinein? Welches Gebet passt dazu?

Vertrauen

➤ Ich vertraue darauf, dass ...

Weich und warm
ist Muttis Arm,
da bin ich ganz geborgen.
Ich schmieg mich an,
so fest ich kann ...
und ...

Vatis Hand,
vertraut, bekannt,
wenn wir zusammenstehen.
Ich fass ihn an,
so fest ich kann ...
und ...

➤ Ich brauche meinen Vater besonders, wenn ...
➤ Ich brauche meine Mutter besonders, wenn ...
➤ Ich brauche ...

Brot zum Leben haben

chléb לֶחֶם

PANIS ψωμί bukëa रोटी pan

Eine Familie in Venezuela

Tobias schreibt aus dem Krankenhaus:

Lieber Jochen!
Schon seit vier Wochen bin ich jetzt hier. Manchmal ist es sehr langweilig, dann möchte ich am liebsten ausreißen und zu euch nach Hause gehen! Aber der Arzt sagt, dass ich noch für mehrere Wochen hierbleiben muss. Die Ärzte sind sehr nett zu mir und ich bekomme manchmal sogar mein Lieblingsessen. Trotzdem sehne ich mich sehr danach, hier wieder herauszukommen. Die Schmerzen werden allmählich erträglich, aber vor den Spritzen habe ich immer noch Angst.
Du denkst, ich müsste wenigstens nicht in die Schule gehen. Da irrst du dich! Hier gibt es eine Krankenhausschule und sogar Hausaufgaben muss ich machen.
Ich warte sehr darauf, dass du mich besuchst und mir erzählst, was bei euch so los ist!

Dein Tobias

➤ Wie passen das Bild und der Brief zur Überschrift?

mkate chlěb ዳቦ pano

pain እንጀራ bread brood нан

T/M: Franz Kett

2. Klares Wasser für den Durst.
3. Kleider und auch warme Schuh.
4. Ein Zuhause und ein Bett.
5. Einen Menschen, der sie liebt.

Roland und Maria erzählen:
Bevor wir zu essen beginnen, beten wir zu Hause oft ein Tischgebet:

HERR!
Segne, was wir zu essen bekommen!
Segne, die uns das Essen zubereitet haben.
Segne alle, die jetzt am Tisch sitzen.

➤ Ich brauche vor allem ...
➤ Es ist schlimm, wenn mir ... fehlt!

ܠܚܡܐ pão პური хлеб LEIPÄ

kenyér mkate chlěb

Sich versöhnen

Was wir manchmal hören müssen:
Du gehst mir auf den Geist!
Ich kann dich nicht leiden.
Das zahl ich dir zurück!
Verschwinde!
Lass dich nicht mehr blicken!
Du bist gemein!
Mit dir mag ich nicht spielen.
Du bist mir viel zu blöd ...

- ➤ Hast du so etwas auch schon gehört?
- ➤ Es macht mich traurig, wenn ...

Was wir gerne hören:
Ich halte trotzdem zu dir.
Komm, du gehörst zu uns.
Bitte, sei wieder gut!
Ich bin dir nicht mehr böse.
Ich mag dich auf alle Fälle.

- ➤ Hast du so etwas auch schon gehört?
- ➤ Es tut gut, wenn ...

Was wir gerne spüren:
Eine Hand, die ...
Einen Arm, der ...
Ein freundliches Gesicht, das ...

Am Abend eines Tages

Das war heute schön ...

Das hat mir Freude gemacht ...

Darüber bin ich traurig ...

Das hat mich geärgert ...

Das ist mir schwergefallen ...

Das tut mir leid ...

Das will ich besser machen ...

Wir wollen gut sein zueinander

T/M: Gertrud Lorenz

Gott ist bei den Menschen

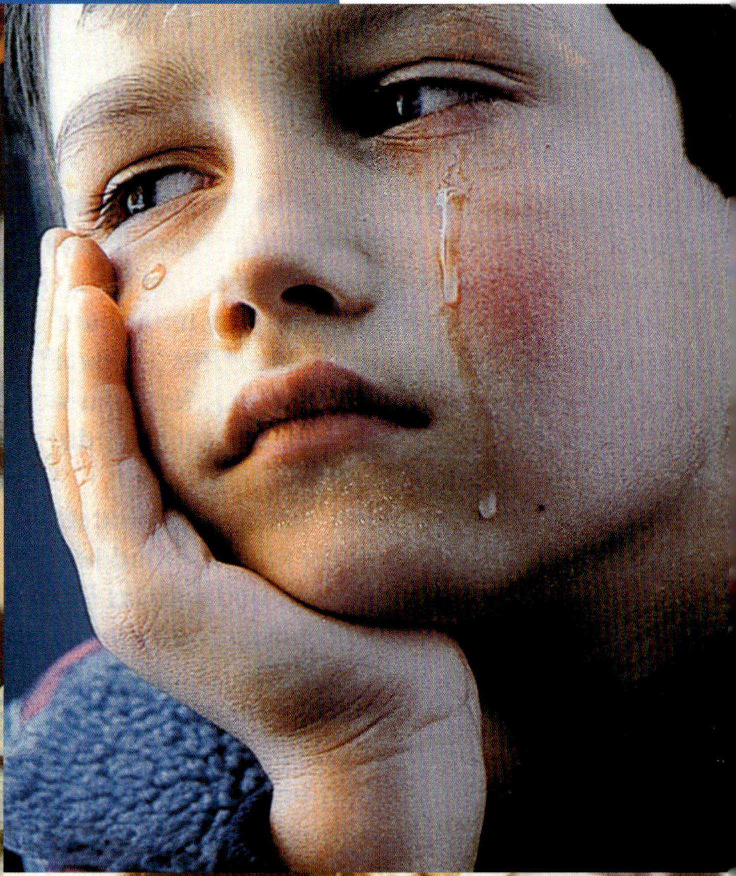

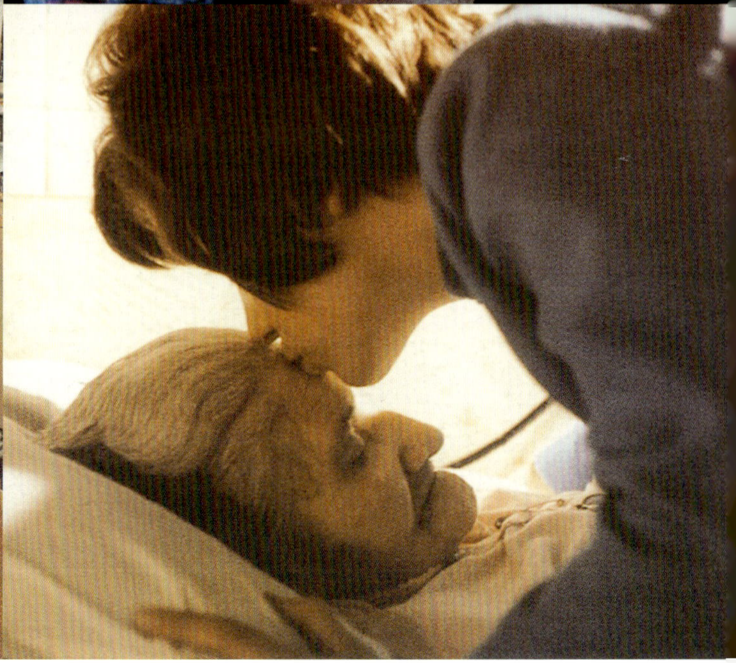

Vater unser im Himmel,
geheiligt werde dein Name.
Dein Reich komme.
Dein Wille geschehe
wie im Himmel so auf Erden.
Unser tägliches Brot gib uns heute
und vergib uns unsere Schuld,
wie auch wir vergeben unseren Schuldigern,
und führe uns nicht in Versuchung,
sondern erlöse uns von dem Bösen.
Denn dein ist das Reich
und die Kraft und die Herrlichkeit
in Ewigkeit.
Amen.

Wie Menschen anderer Religionen beten

Im Namen Gottes,
des Erbarmers,
des Barmherzigen.
Lob sei Gott,
dem Herrn der Welten.

So beginnen die meisten Suren des Koran.

- Nimm die Haltung des Mädchens ein.
- Was drückt das Mädchen damit aus?
- Erkundige dich, was Koran bedeutet.

Höre, Israel, der Herr, unser Gott, ist einzig.
Darum sollst du den Herrn, deinen Gott,
lieben mit ganzem Herzen,
mit ganzer Seele und
mit ganzer Kraft.

Du sollst diese Worte als Zeichen
um dein Handgelenk binden.
Sie sollen zum Schmuck
auf deiner Stirn werden.

Beim Gebet haben manche Juden an die Stirn und um das Handgelenk Gebetsriemen gebunden.

➤ Lasst euch erklären, was das bedeutet.

➤ Überlegt euch, wo ihr mehr über die Religion erfahren könnt.

Loben und danken

- ➤ Erfindet zu diesem Lied Bewegungen.
- ➤ Ihr könnt zum Lied auch tanzen.
- ➤ Ihr findet auf S. 91 weitere Gebete.

2 Miteinander leben

Miteinander – gegeneinander

T: Rolf Krenzer
M: Detlev Jöcker

➤ Wir freuen uns nicht immer ...

Manchmal

T/M: Jürgen Peylo

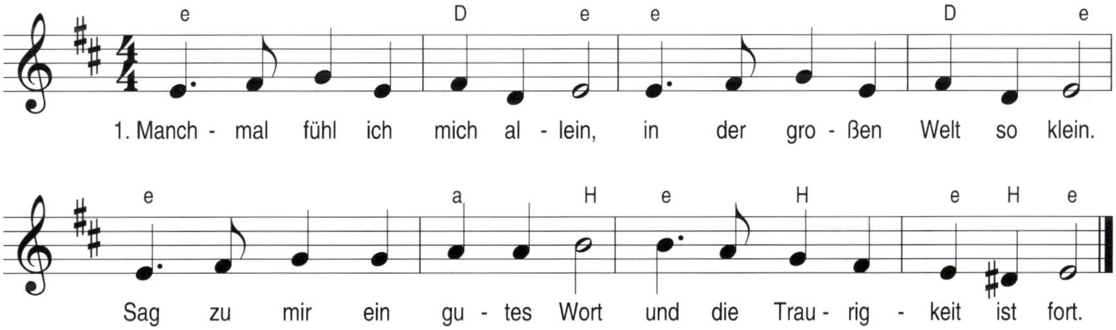

2. Manchmal tu ich andern weh.
   Wenn ich einsam abseits steh,
   sag zu mir ein gutes Wort
   und die Traurigkeit ist fort.

3. Manchmal sitzt die Angst im Herz,
   manchmal quält ein böser Schmerz –
   sag zu mir ein gutes Wort
   und die Traurigkeit ist fort.

Wie es bei Josef war

T/M: Robert Haas

Josef und seine Brüder

Im Land Kanaan lebte Josef mit seinem Vater Jakob und mit seinen Brüdern.
Der Vater liebte Josef besonders. Er schenkte ihm ein schönes buntes Gewand, wie es nur Prinzen tragen. Die Brüder Josefs merkten, dass der Vater Josef mehr liebte als sie. Deshalb hassten sie Josef und konnten nicht mehr freundlich zu ihm sein.
Josef erzählte ihnen auch seine Träume: Sonne, Mond und elf Sterne verneigten sich vor ihm. Da hassten sie ihn noch mehr.

➤ Male zu den einzelnen Erzählungen der Josefs-Geschichte ein Bild.

für Thomas Mann
Joseph der Träumer
6. VI.

Josef kommt nach Ägypten

Eines Tages besuchte Josef seine Brüder. Sie hüteten ihre Tiere auf der Weide. Da sagten sie zueinander: „Da kommt er, dieser Träumer! Wir wollen ihn umbringen." Sie zogen ihm sein Gewand aus und warfen ihn in eine Zisterne. Als eine Karawane vorbeikam, verkauften sie ihn. So kam er nach Ägypten. Das Gewand Josefs beschmierten die Brüder mit dem Blut einer Ziege und ließen es zu ihrem Vater bringen. Da schrie der Vater: „Das Gewand meines Sohnes! Ein wildes Tier hat ihn gefressen!" Niemand mehr konnte ihn trösten. Die Kaufleute verkauften Josef in Ägypten an Potifar. Er wurde sein Sklave. Was Josef auch arbeitete, alles gelang ihm. Darum vertraute Potifar ihm sein Haus und seine Felder an. Doch eines Tages wurde er ungerecht beschuldigt. Da ließ ihn Potifar voll Zorn ins Gefängnis werfen.

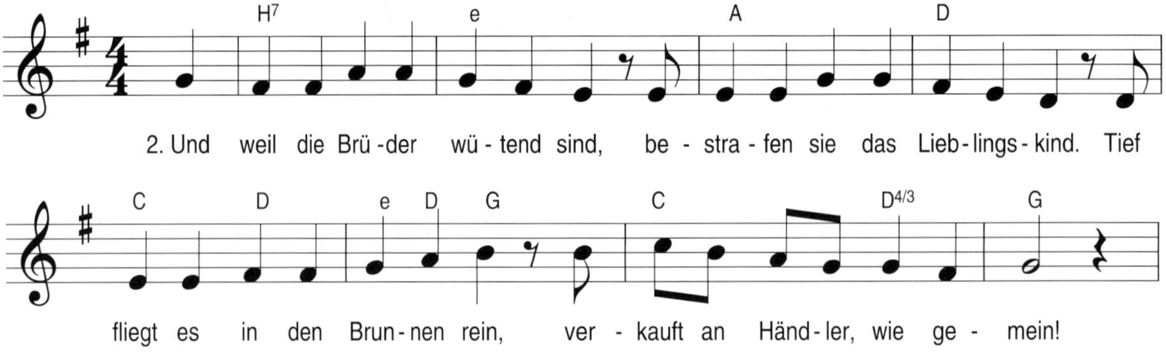

Josef der Träumer

Josef wird Stellvertreter des Pharao

Auch im Gefängnis war Gott mit Josef. Alles, was Josef arbeitete: Gott ließ es gelingen. Der Gefängnisleiter vertraute ihm alle Gefangenen an. Josef legte auch die Träume der Gefangenen aus. So wurde er als Traumdeuter bekannt. Eines Tages hatte der Pharao, der König von Ägypten, einen Traum:

Sieben schöne, fette Kühe
steigen aus dem grünen Nil.
Sieben klapperdürre Kühe
fressen sie mit Stumpf und Stiel.
Nur noch die magern stehn im Gras.
Pharao, was bedeutet das?

Sieben volle, goldne Ähren
schwanken hin und her im Wind.
Sieben klapperdürre Ähren
fressen die dicken Ähren geschwind.
Nur noch die magern sind zu sehn.
Pharao, Pharao, was wird geschehn?

Die Wahrsager und Weisen des Landes konnten die Träume nicht deuten. Da erinnerte sich ein Diener an den Traumdeuter Josef. Schnell ließ der Pharao Josef aus dem Gefängnis holen. Und Josef sagte: „Mit Gottes Hilfe will ich dem Pharao die Träume deuten. Sieben Jahre wird großer Überfluss im Lande sein. Dann aber werden sieben Jahre kommen, in denen große Hungersnot herrscht." Der Pharao war vom Geist Gottes beeindruckt, den er in Josefs Worten erkannte. Er machte ihn zum zweiten Mann über ganz Ägypten. In den sieben Jahren, die reiche Ernte brachten, sammelte Josef das Getreide. In den sieben Jahren der Not teilte er das Getreide an die hungernden Menschen aus.

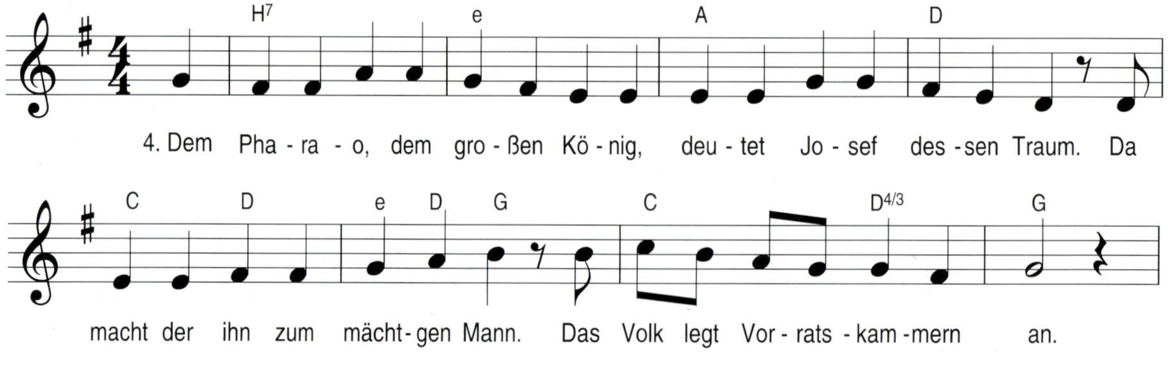

Josefs Brüder kommen nach Ägypten

Auch in Kanaan herrschte große Hungersnot. Jakob sagte zu seinen Söhnen: „Geht nach Ägypten und kauft Getreide, damit wir nicht verhungern müssen." So kamen die Brüder zu Josef und warfen sich vor ihm nieder. Josef erkannte seine Brüder, sie aber erkannten ihn nicht. Er sagte zu ihnen: „Spione seid ihr!" Und er warf sie ins Gefängnis. Nach drei Tagen ließ er sie wieder frei und sie kehrten mit dem Getreide heim. Als die Hungersnot immer größer wurde, zogen die Brüder Josefs ein zweites Mal nach Ägypten. Da lud er sie zu einem Festessen ein. Josef gab sich zu erkennen, weinte vor Freude und sagte: „Ich bin Josef, euer Bruder, den ihr nach Ägypten verkauft habt. Lebt mein Vater noch? Habt keine Angst! Um das Leben vieler Menschen zu retten, hat mich Gott hierher geschickt. Ihr habt mir Böses angetan, aber Gott hat alles zum Guten gewendet."

Josefs Geschichte – unsere Geschichten

- Lies die Sätze und wähle einen aus!
- Male dazu ein Bild oder schreibe eine Geschichte.
  Du kannst deine Geschichte auch spielen.

- Wo könnte dein Satz in der Josefs-Geschichte vorkommen? Erzähle diesen Teil der Josefs-Geschichte einer Mitschülerin oder einem Mitschüler.
- Legt ein Josefs-Buch an: Verwendet dazu eure gemalten Bilder.

Gott lässt mich nicht allein

T: Rolf Krenzer
M: Ludger Edelkötter

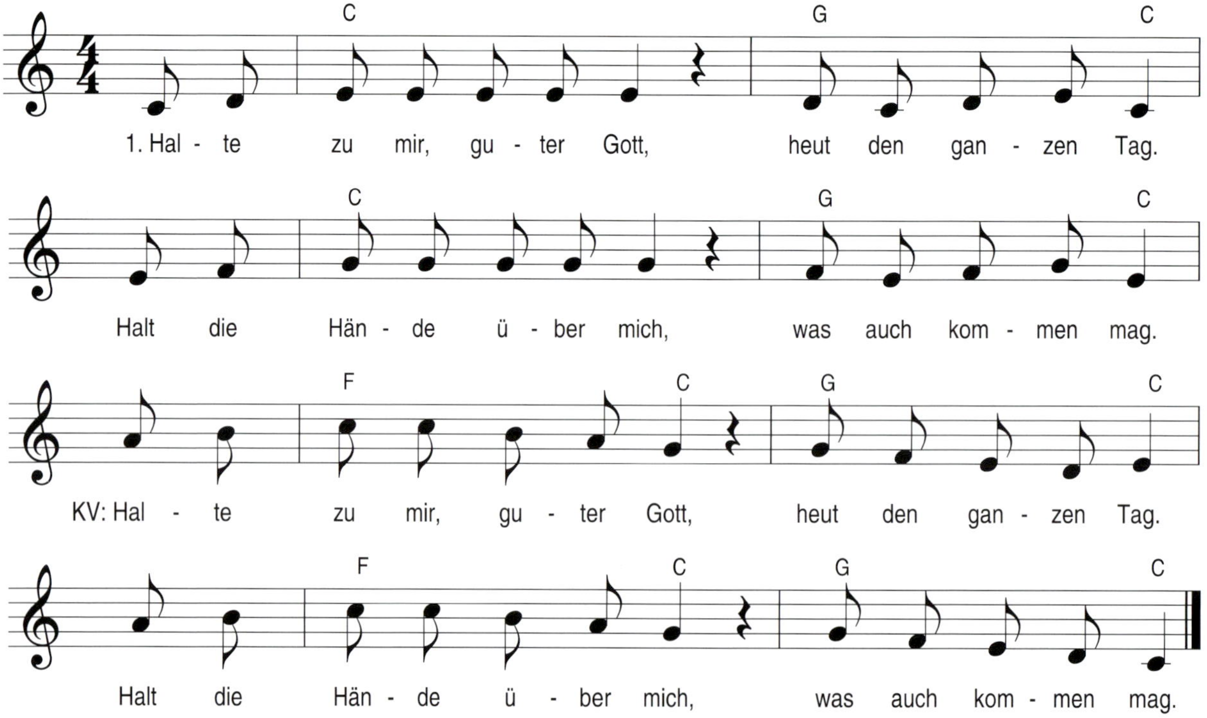

2. Du bist jederzeit bei mir. Wo ich geh und steh,
spür ich, wenn ich leise bin, dich in meiner Näh.

3. Gibt es Ärger oder Streit und noch mehr Verdruss,
weiß ich doch, du bist nicht weit, wenn ich weinen muss.

4. Meine Freude, meinen Dank, alles sag ich dir.
Du hältst zu mir, guter Gott, spür ich tief in mir.

- Wähle aus dem Lied einen Satz, der zur Josefs-Geschichte passt!
- Schreibe ihn in dein Heft und verziere ihn.
- Halte zu mir, guter Gott, wenn ...
- Überlegt, welche Wege es zum Frieden gibt, wenn Ärger, Streit und Wut unter uns herrschen. Schaut nach auf den Seiten 14 und 15.

3 Träumen – wünschen – hoffen

Wunschzettel

Einmal zum Monde fliegen
und einen Stern wiegen.
Einmal ein Schiff selber führen
und einen Indianer berühren.
Einmal König sein und regieren
und mit einem Löwen durch die Straßen spazieren.
Einmal nicht an die Aufgaben denken
und ein ganzes Warenhaus verschenken.
Einmal das schnellste Auto messen
und zum Frühstück Honigwaben essen.
Einmal zaubern können,
Wasser in süßen Wein,
und einmal für alle
unsichtbar sein.

Max Bolliger

Eis essen,
so viel ich will.

Eine berühmte
Eistänzerin werden ...

Meine Eltern vertragen
sich wieder.

Zweimal im Jahr
Geburtstag haben ...

In der Schule ...

In der Bundesliga
Fußball spielen.

Pedro sammelt Holz. Er kann nicht lesen. Er hat keine Familie ...

Hoffnungsgeschichten

- Wähle eines der Bilder aus!
- Was kann das Kind auf dem Bild erlebt haben?
- Welche eigenen Geschichten fallen dir dazu ein?
- Welche Worte passen zu deinem Bild?

Zur Zeit des Propheten Jesaja wurden die Israeliten unterdrückt. Sie sehnten sich nach Frieden und Freiheit. Jesaja gab ihnen im Auftrag Gottes Hoffnung auf ein Ende ihrer Leiden:

Gott, der Herr,
wischt die Tränen ab
von jedem Gesicht.

Nie mehr
hört man lautes
Weinen und Klagen.

Den Elenden
wird er helfen.

Mutlose
brauchen sich
nicht zu fürchten.

Gott
verlässt
niemanden.

Ihr sollt euch
ohne Ende
freuen und jubeln.

- Was können Menschen sich von Gott erhoffen?
- Worauf hoffen wir in der Adventszeit?

Der Traum einer Frau

Voll Freude singe ich Gott, meinem Retter.
Auf mich hat er geschaut.
Jetzt werden all die vielen zu mir sagen:
„Gott hat dir geholfen.
Er ist gut, er steht immer auf der Seite der Armen."
Er ist groß.
Die Unterdrückten richtet er auf
und die Mächtigen bringt er zu Fall.
Er gibt Brot denen, die Hunger haben,
und die Reichen lässt er leer ausgehen.
Wie er es gesagt hat:
Immer ist Gott auf der Seite der Armen.

Nach Lukas 1,46-55

LUCY

Mehr als ein Traum

Der Engel kommt zu Maria

Gott sandte den Engel Gabriel zu Maria in die Stadt Nazaret. Der Engel trat bei ihr ein und sagte: „Sei gegrüßt! Du bist voll der Gnade. Der Herr ist mit dir."

Maria erschrak und überlegte, was dies zu bedeuten habe.

Da sagte der Engel zu ihr: „Fürchte dich nicht, Maria. Du wirst einen Sohn bekommen. Er soll Jesus heißen. Er wird groß sein und Gottes Sohn genannt werden."

Maria aber sagte zum Engel: „Wie soll das möglich sein, wenn ich mit keinem Mann zusammenlebe?"

Der Engel antwortete ihr: „Der Heilige Geist wird über dich kommen und die Kraft Gottes wird dich umhüllen. Deshalb wird dein Kind heilig sein und man wird es Sohn Gottes nennen."

Da sagte Maria: „Ich bin die Magd des Herrn, mir geschehe, wie du es gesagt hast."

Nach Lukas 1,26-38

Jesus wird geboren

In jenen Tagen erließ Kaiser Augustus den Befehl, alle Bewohner des Reiches in Steuerlisten einzutragen. Da ging ein jeder in seine Stadt, um sich eintragen zu lassen. So zog auch Josef von Nazaret in die Stadt Betlehem. Er wollte sich mit Maria eintragen lassen. Als sie dort waren, gebar Maria ihren Sohn.

➤ Was erwarten die Menschen von einem Retter?

Sie wickelte ihn in Windeln und legte ihn in eine Krippe.
In der Herberge war kein Platz für sie.
In jener Gegend lagerten Hirten auf freiem Feld. Sie hielten Nachtwache bei ihrer Herde. Da trat der Engel des Herrn zu ihnen.
Sie fürchteten sich sehr. Der Engel aber sagte zu ihnen: „Fürchtet euch nicht. Ich verkünde euch eine große Freude: Heute ist euch der Retter geboren. Er ist der Messias, der Herr."
Und plötzlich war bei dem Engel eine große himmlische Schar.
Sie lobte Gott und sprach:
„Ehre sei Gott in der Höhe
und Friede auf Erden
den Menschen seiner Gnade."

Nach Lukas 2,1-14

➤ Lies dazu Seite 39, Seite 40 und die Seiten 46-47.

Ein Lebenstraum wird wahr

Lukas erzählt im Evangelium die Geschichte von Simeon und Hanna. Ihr Lebenstraum wurde erfüllt.
Maria und Josef brachten Jesus zum Tempel. Da sah Simeon das Kind, nahm es auf seine Arme und begann mit lauter Stimme Gott zu loben:
Meine Augen schauen das Heil. Alle Menschen sollen es sehen.
Das Kind ist das Licht.
In diesem Augenblick trat Hanna hinzu, pries Gott und sprach zu allen, die auf den Retter warteten.

Nach Lukas 2,21-40

Zu Betlehem geboren

T: Friedrich Spee
M: Paris 1599/geistlich Köln 1638

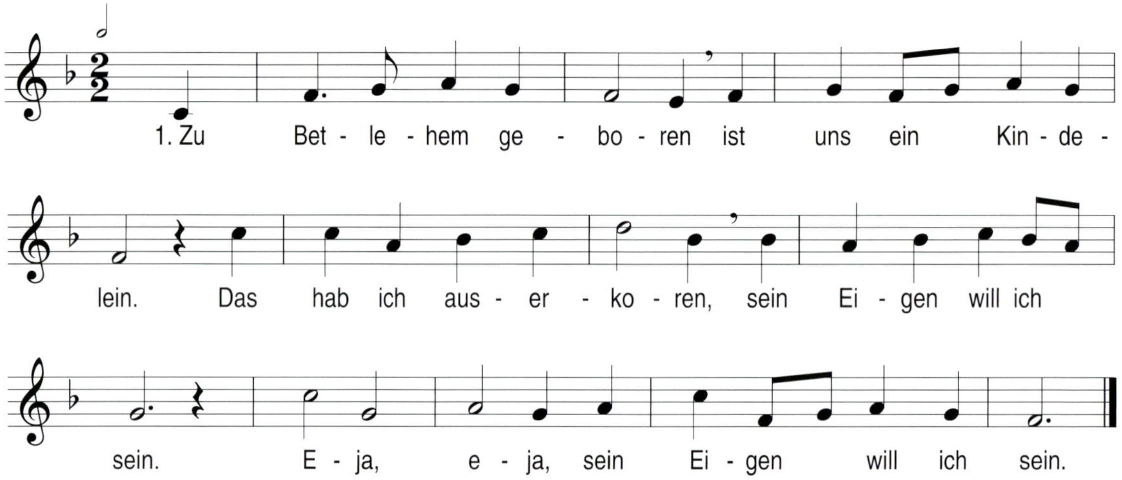

In der Geschichte von Hanna und Simeon kommen zwei wichtige Worte vor: „Heil" und „Licht".

➤ Denke dir eine Geschichte aus, in der das Wort Heil oder das Wort Licht vorkommt!

➤ Du kannst die Geschichte auch malen.

Ein Hirtenspiel

Szene 1

1. Erzähler: In der Nähe von Betlehem hüten die Hirten ihre Schafe. Es ist kalt. Sie haben ein Feuer angezündet. Dicht aneinandergedrängt schauen sie in die Flamme.
1. Hirt: In dieser Nacht ist alles anders.
2. Hirt: Die Tiere sind so still.
3. Hirt: Da stimmt etwas nicht.
4. Hirt: Was ist los?
Ephraim: Ihr träumt ja alle.
5. Hirt: Schaut mal da, es wird immer heller.
(Die Hirten halten die Hände vor das Gesicht.)
1. Erzähler: Ein Bote Gottes, ein Engel, erscheint und ruft den Hirten zu:
Engel: Fürchtet euch nicht. Ich verkünde euch eine große Freude: Heute ist euch der Retter geboren.
(Die Hirten nehmen die Hände vom Gesicht.)
1. Hirt: Was war das?
2. Hirt: Habt ihr das auch gehört und gesehen?
3. Hirt: Ich habe alles gehört.
4. Hirt: Heute ist uns der Retter geboren.
5. Hirt: Lasst uns dem Licht nachgehen.
Alle Hirten: Ja, ja, ja, wir wollen uns aufmachen.
1. Erzähler: Da machen sich die Hirten auf den Weg, um den Retter zu suchen. Nur der Hirte Ephraim bleibt mürrisch am Feuer sitzen. Er geht nicht mit. Er bleibt allein zurück und schaut den anderen nach, bis sie in der Dunkelheit nicht mehr zu sehen sind.

Ephraim: Lauft nur, lauft! Lauft einer Traumbotschaft nach. Ihr werdet schon sehen, dass euch das nichts bringt.
(Pause – Ephraim nachdenklich)

Ephraim: Und wenn es sich doch lohnt, aufzustehen und zu gehen? Ob sich die Anstrengung lohnt, wenn ich mich mit meinen Krücken auf den Weg mache?
2. Erzähler: Plötzlich rafft er sich auf, nimmt die Krücken unter die Arme und humpelt davon, den Spuren der anderen nach. Der Weg ist weit. Endlich kommt er zum Stall. Der Lehmboden ist von vielen Füßen zertreten.

Ephraim: Ach, da seid ihr.
(Er bahnt sich einen Weg durch die Hirten.)
Ephraim: Das ist ja nur ein Kind. Das soll der Retter sein, von dem der Engel gesprochen hat?
3. Erzähler: Er lehnt seine Krücken an die Krippe.
4. Erzähler: Ephraim will umkehren. Und bleibt dann doch vor der Krippe stehen und schaut das Kind an.
5. Erzähler: Nach einer Weile macht er sich auf den Heimweg.
(Ephraim geht zögernd, ohne Krücken, einige Schritte.)
Ephraim: Ach, ich habe ja meine Krücken vergessen. Da muss ich zurück.
(Ephraim nachdenklich)
Ephraim: Aber warum soll ich umkehren? Ich kann ja ohne Krücken gehen! Auf dem Weg nach Betlehem, auf dem Weg zur Krippe bin ich geheilt worden.
6. Erzähler: Zögernd geht Ephraim weiter. Seine Schritte werden immer fester. Er ist geheilt.

Der Traum von einer besseren Welt

- Schau nach, was Sternsinger tun: www.sternsinger.de.
- Auch du kannst mitmachen! Erkundige dich in deiner Pfarrgemeinde.
- Informiere dich, was mit dem Geld geschieht.

4 Jesu Lebensweg

Menschen sind von Jesus begeistert

Freuen dürfen
sich alle, die arm sind,
denn Gott ist ihnen nahe.

Freuen dürfen
sich alle, die weinen,
denn sie werden lachen.

T: Rolf Krenzer
M: Martin Göth

Freuen dürfen sich alle,
die hungern müssen, denn
sie werden satt werden.

➤ Du bist da, wo Menschen ...
Singt gemeinsam neue Strophen!

Jesus heilt Menschen

Öffne dich!

Einmal brachte man zu Jesus einen Mann, der taub war und nicht richtig sprechen konnte. Jesus legte die Finger in die Ohren des Mannes. Dann berührte er seine Zunge. Danach blickte Jesus zum Himmel auf und sagte zu dem Taubstummen: „Effata!", das heißt: „Öffne dich!" Sogleich öffneten sich die Ohren des Mannes und er konnte hören. Auch die Zunge löste sich und er konnte klar und deutlich sprechen. Die Menschen, die dabei waren, staunten und sagten:
„Jesus hat alles gut gemacht.
Er macht, dass die Tauben hören und die Stummen sprechen."

Nach Markus 7,31-37

Streck deine Hand aus!

Als Jesus einmal am Sabbat in der Synagoge war, saß dort ein Mann mit einer verdorrten Hand. Einige Schriftgelehrte beobachteten Jesus, denn es war verboten, am Sabbat zu heilen.
Jesus aber stellte den Mann in die Mitte und fragte alle:
„Was ist am Sabbat erlaubt: Gutes zu tun oder Böses?"
Die Schriftgelehrten schwiegen.
Jesus war traurig, dass sie ein hartes Herz hatten.
Und er sagte zu dem Mann: „Streck deine Hand aus!"
Der Mann streckte seine Hand aus und sie war wieder gesund.
Die Schriftgelehrten aber gingen hinaus und fassten den Beschluss, Jesus umzubringen.

Nach Markus 3,1-6

Jesus macht Menschen heil. Viele Leute beginnen nachzudenken:

➤ Sie fragen ...

➤ Einige fangen an zu verstehen, dass ...

Was Menschen über Jesus denken

So kann das nicht weiter-gehen!
Wir müssen etwas gegen ihn unternehmen!
Er ist eine Gefahr!
Warum streiten die so?
Wie kann er nur ...
Er passt nicht zu uns.
Es ist verboten ...

Jesus geht seinen Weg bis zum Kreuz

Jesus wurde gefangen genommen.
Die Pharisäer und Schriftgelehrten
klagten ihn vor Gericht an.
Pilatus gab den Befehl,
Jesus zu geißeln und zu kreuzigen.
Die Soldaten setzten Jesus
eine Dornenkrone auf,
schlugen ihn auf den Kopf und
spuckten ihn an.
Sie führten ihn zur Kreuzigung.
Jesus musste sein Kreuz tragen.
Sie schlugen ihn ans Kreuz.
Jesus starb qualvoll am Kreuz.

Nach Markus

Mein Gott, warum hast du mich verlassen?

Mein Gott, ich rufe,
doch du gibst keine Antwort.

Ich bin von vielen verachtet.

Sei nicht so weit weg, denn die Not ist groß.
Niemand ist da, der hilft.

Ich bin hingeschüttet wie Wasser.

Gott, halte dich nicht fern!
Komm mir zu Hilfe!

➤ Ordne den Bildern die Gebetsrufe zu.

➤ Wähle einen Gebetsruf aus, schreibe ihn ab und lege ihn zu dem Bild.

➤ Du siehst Jesus, seine Mutter und einen Jünger.
Frag nach, wie der Evangelist Johannes vom Tod Jesu erzählt.

Was Menschen nach dem Tod Jesu erfahren

Bei der Kreuzigung Jesu und seinem Tod waren auch Maria und Johannes dabei. Sie hatten alles miterlebt.
Nach dem Tod Jesu erfahren sie etwas Unerhörtes:

Maria erzählt:	*Ich habe Jesus gesehen! Ganz früh am Morgen ging ich zum Grab. Doch der Stein war weg und das Grab war leer. Ich blieb stehen und weinte. Auf einmal sah ich einen Mann. Er fragte mich: „Frau, warum weinst du? Wen suchst du?" Zuerst dachte ich, es sei der Gärtner. Aber der Mann schaute mich an. Plötzlich sagte er meinen Namen: „Maria!" Da erkannte ich ihn: Es war Jesus!*
Johannes erzählt:	*Wir waren in Jerusalem zusammen. Plötzlich war Jesus in unserer Mitte. Er sagte zu uns: „Friede sei mit euch!" Wir freuten uns sehr, dass wir den Herrn sahen. Auch andere haben erzählt, dass sie ihn gesehen haben. Später wurden wir Zeugen seiner Himmelfahrt.*
Maria:	*Doch wie geht es jetzt weiter?*
Johannes:	*Er ist bei uns, aber anders! Komm, er hat uns einen Auftrag gegeben! Alle Menschen sollen erfahren, dass Jesus lebt!*

➤ Maria denkt nach: Wie können Menschen erfahren, dass Jesus lebt?

➤ Heute feiern Christen 40 Tage nach Ostern das Fest „Christi Himmelfahrt". Male ein Himmelfahrts-Bild nur mit Farben.

Sich an Jesus erinnern

In vielen Kirchen hängt in der Fastenzeit ein Hungertuch.
Die einzelnen Bilder erinnern an Jesus-Geschichten.

➤ Auch ihr könnt ein Hungertuch gestalten:
Überlege, welche Geschichte von Jesus du malen willst!
Fügt eure Jesus-Bilder zu einem Hungertuch zusammen!
Sucht in der Schule einen Platz, wo ihr es aufhängen könnt!

So hat eine zweite Klasse die Station
„Jesus ist auferstanden!" gestaltet.

➤ Ihr könnt mit euren Bildern auch einen Jesus-Weg gestalten.
Überlegt, welche Stationen ihr darstellen wollt.
Sucht Materialien, mit denen ihr eure Bilder ergänzt.
Baut den Stationen-Weg im Klassenraum auf.
Geht von Station zu Station und erklärt einander die Bilder.
Ihr könnt auch ein Lied singen, ein Gebet sprechen, Musik dazu hören.

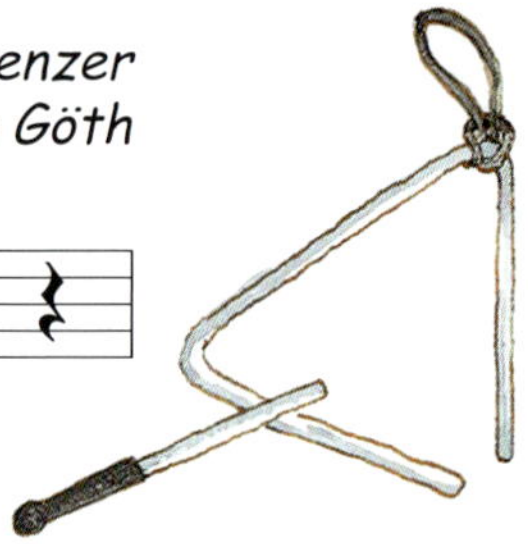

Für Jesus will ich singen

T: Rolf Krenzer
M: Martin Göth

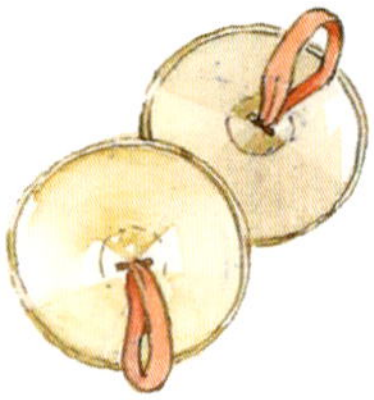

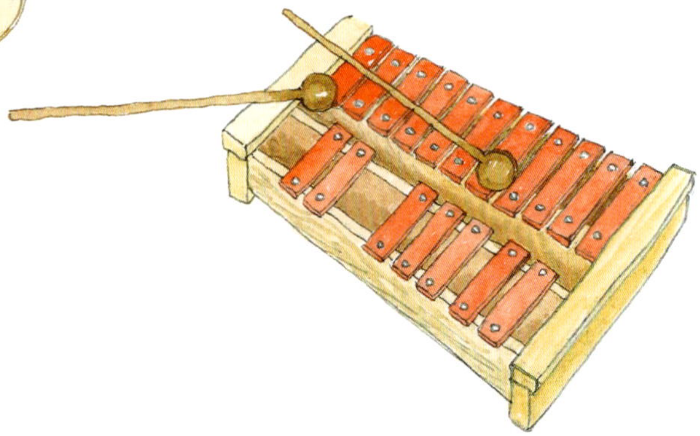

➤ Dichte weiter: „Für Jesus ...", „Von Jesus will ..."

5 Zur Kirche gehören

Wenn ein Kind geboren wird ...

Julias Mutter ist schwanger:
Julia fragt...

Das Baby ist da:
Mama und Papa erzählen ...

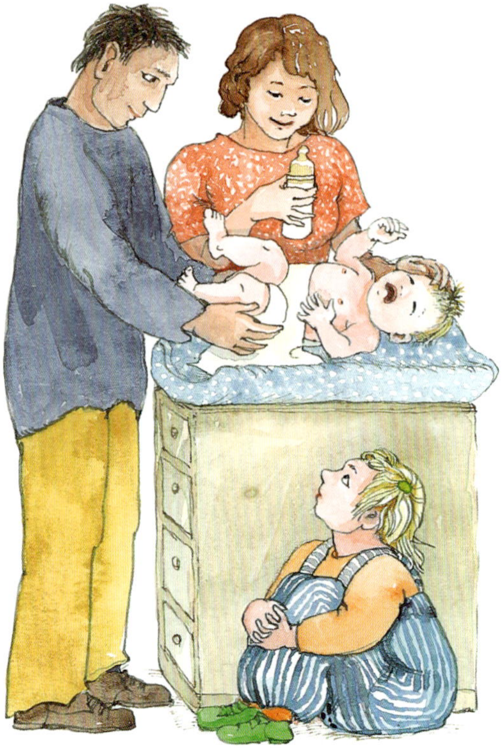

In der Familie ist nun einiges anders.

Relix: „Ich hätte
so gerne
ein Geschwisterchen!"

Kinder-Begrüßungs-Rap

Hallo Kind, du bist da! Alles klar? Wunderbar!
Hallo Kind, komm herein! Bei uns wirst du nun sein.
Hallo Kind, du bist hier! Ich hab' dich lieb, spiel mit dir.
Du bist die Sensation! Ahnte ich so was schon?
Du bist da! Alles klar! Wunderbar!

Freunde und Verwandte kommen zu Besuch.
Sie wollen Michael sehen.
Sie wünschen Michael alles Gute.
Sie gratulieren den Eltern.
Sie bringen Geschenke mit.

➤ Was wünschen die Freunde und Verwandten dem kleinen Michael?
➤ Was wünschen sie den Eltern?
➤ Was wünschen sie der Julia?

Eine eigenartige Familie

Kennst du die Geschichte von Herrn und Frau Leer? Sie hatten zehn Söhne, und jeder hieß Per. Und für Herrn und Frau Leer war das manchmal sehr schwer. Denn wenn sie riefen: „Per, komm mal her", dann kam da nicht nur einer gerannt, dann stürmten gleich alle zehn übers Land. Ach, hätten die Eltern, als die Kinder geboren, alle anders genannt: einen Fuzzi van Doren, Hum-Bug den nächsten, einen anderen Jim, Gummi-Tarzan einen oder dann Tim, noch einen Flummi, den anderen Knaxi, einen jüngeren etwa Knuddel-Di-Braxi, einen von ihnen auch Rotzi-Nas-Dax, den kleinsten Klein-Plozzi oder Knatter-Max. Doch sie taten es nicht, wie du nun weißt, und so kam es, dass jeder Per Leer jetzt heißt.

Du hast einen Vornamen, der fest zu dir gehört. So rufen dich deine Mutter, dein Vater und alle, die dich kennen.

➤ Spiele mit deinem Vornamen:
sprich ihn von hinten nach vorne,
gib deinem Namen eine Melodie ...
Verziere deinen Namen.

Ich rufe dich
bei deinem
Namen.

Jesaja 43,1

Kann denn
eine Mutter
ihr Kind vergessen?
Selbst wenn sie es
vergessen würde:
Ich vergesse
dich nicht.

Jesaja 49,15

Schau,
ich habe dich
in meine Hand
geschrieben.

Jesaja 49,16

Freut euch
darüber,
dass eure
Namen
bei Gott
im Himmel
aufgeschrieben
sind.

Lukas 10,20

➤ Schreibe deinen Vornamen auf eine Karte.
Wähle einen Satz aus, den du zu deinem Namen schreiben willst.
Verziere die Karte.
Suche für deine Karte einen Ort, an dem sie stehen soll.
Du kannst sie auch in dein Ich-Buch kleben.

➤ Erkundige dich, wann du Namenstag hast!

➤ Gestaltet für eure Klasse einen Namenstags-Kalender.

Ein Kind wird getauft

➤ Lass dir von deiner Taufe erzählen.
➤ Bringe Bilder von deiner Taufe mit.

„Ich taufe dich im Namen des Vaters und des Sohnes
und des Heiligen Geistes."

Ein kleines Kind, du großer Gott, kommt in dein Haus.
Herr, nimm es auf bei dir.
Es braucht die Kraft, du großer Gott, um weit zu gehen.
Herr, nimm es auf bei dir.
Es braucht das Licht, du großer Gott, um dich zu finden.
Herr, nimm es auf bei dir.
Wir alle hier, du großer Gott, wir brauchen dich.
Herr, nimm uns auf bei dir.

Wasser – Zeichen für ...

Wasser ist kostbar.
Wasser schenkt Leben.
Wasser ...

Kleid und Kerze – Zeichen für ...

- Menschen tragen verschiedene Kleider. Was sagt euch das Taufkleid?
- Auf den Seiten 68 und 69 entdeckt ihr weitere Zeichen. Versucht sie zu deuten.

➤ Lass die einzelnen Kerzen erzählen:
Ich bin die Kerze auf der Festtafel.
Ich bin die Kerze am Christbaum.
Ich bin die Taufkerze.

Zur Gemeinde gehören

Liedruf, mündlich überliefert

Kinderchor:
Mittwoch, 16 Uhr, im Pfarrheim.
Wir proben für das Pfarrfest!

Ministrantengruppe und Ministrantinnengruppe:
Freitag, 16 Uhr, im Pfarrheim.

Familiengottesdienst:
Sonntag, 10.30 Uhr, mit eigener Kinderpredigt. Bringt eure Lieblingsspielsachen mit.

Pfarrbücherei:
Die Pfarrbücherei ist nach dem Kindergottesdienst geöffnet.
Wir haben viele neue Kinderbücher!

Achtung:
In der ersten Ferienwoche gibt es wieder eine **Kinderbibelwoche**.
Unser Thema dieses Jahr:
Mit Noach in der Arche!
Treffpunkt: Montag, 10 Uhr, vor dem Pfarrheim.

➤ Erkundige dich, wann in deiner Gemeinde Kindergottesdienste gefeiert werden. Gibt es auch Gruppenstunden für Kinder?

➤ Stell dir vor, ihr könntet eine Kinderkirche so einrichten, dass Kinder gerne hingehen. Was gehört alles dazu?

Kinder erforschen ihre Kirche

➤ Du entdeckst:
Altar
Kreuz
Taufbecken
Weihwasserbecken
Osterkerze
Woran erinnern sie dich?

➤ Schau dich genau um!
Was fällt dir auf?
Was gefällt dir am besten?

➤ Schreibe den Namen
deiner Pfarrkirche auf!

➤ Du findest Bilder
und Figuren
von Heiligen.
Erfrage ihre Namen.
Manche halten etwas
in der Hand.
Zeichne es!
Lass dir die
Zeichen erklären.

➤ Wo würdest du beim Gottesdienst
am liebsten stehen oder sitzen?
Stelle auf diesen Platz dein Namensschild!

6 Leben in Gottes Schöpfung

Tiere verlassen den Wald

➤ Erzähle, wie die Welt der Tiere bedroht wird.

➤ Kennst du Beispiele aus deiner Umgebung?

Noach baut eine Arche

Es lebte ein Mann mit Namen Noach. Er war gut und gerecht und ein Freund Gottes.

Zu ihm sprach Gott:

„Eine Flut wird kommen und die Erde bedecken.

Du, Noach, bist gerecht und gut.

Du sollst gerettet werden.

Darum baue eine Arche.

Geh in die Arche mit deiner Frau, deinen Söhnen und den Frauen deiner Söhne. Nimm von allen Tieren je zwei in die Arche mit, damit sie am Leben bleiben. Je ein Männchen und ein Weibchen sollen es sein.

Nimm dir auch von allem Essbaren mit und lege dir Vorräte an."

Noach gehorchte Gott und tat, was er ihm aufgetragen hatte. Sie gingen in die Arche und verschlossen sie fest.

Und es begann zu regnen.

Es regnete 40 Tage und Nächte.

Das Wasser stieg immer mehr an auf der Erde, die Arche aber trieb auf dem Wasser dahin. Sie blieb unversehrt inmitten der Fluten, und was in ihr lebte, blieb geschützt und geborgen.

Da dachte Gott an Noach und an alle Tiere, die bei ihm in der Arche waren. Gott ließ einen Wind über die Erde wehen und das Wasser sank.

Mit dem Wasser sank die Arche.

Auf einem Berg setzte sie auf.

Noach öffnete ein Fenster der Arche. Er sandte eine Taube aus.

Als es Abend wurde, kam sie wieder. Noch war nirgendwo trockenes Land.

Noach wartete sieben Tage, dann sandte er sie erneut aus.

Die Taube flog fort.

Als es Abend wurde, brachte sie einen frischen Olivenzweig mit.

Noach wusste, jetzt wird die Erde wieder neu. Sie beginnt zu grünen und zu blühen.

Noach wartete noch einmal sieben Tage. Dann schickte er die Taube zum dritten Mal aus.

Sie kam nicht wieder.

Sie hatte festes Land gefunden, um ihr Nest zu bauen.

Nach Genesis 8

Marc Chagall
1931

Ein Regenbogen verbindet Himmel und Erde

Da sprach Gott der Herr zu Noach: „Komm heraus aus der Arche, du, deine Frau, deine Söhne, die Frauen deiner Söhne. Bring die Tiere heraus, die mit dir in der Arche waren. Sie sollen sich auf der Erde vermehren, damit die Erde wieder wimmle von Tieren."

Da kam Noach heraus und mit ihm seine Frau, seine Söhne und die Frauen seiner Söhne. Und auch alle Tiere kamen heraus.

Noach baute dem Herrn einen Altar und brachte ihm zum Dank ein Opfer.

Und Gott sprach:

„Solange die Erde besteht, soll es geben
Aussaat und Ernte,
Kälte und Hitze,
Sommer und Winter,
Tage und Nächte."

Dann segnete Gott Noach und seine Familie und sprach zu ihnen: „Seid fruchtbar, vermehrt euch und füllt die Erde mit Leben. Hiermit schließe ich meinen Bund mit euch und euren Nachkommen. Nie wieder soll eine Flut kommen und die Erde verderben.

Und das ist das Zeichen zwischen mir und euch für alle Zeit: Meinen Bogen setze ich in die Wolken. Wenn die Wolken sich bedrohlich zusammenballen und nach dem Unwetter der Regenbogen erscheint, dann wird er mich daran erinnern, was ich euch und euren Nachkommen und allen Tieren versprochen habe. Und ihr wisst, wenn ihr den Regenbogen seht: Ihr könnt euch auf mich verlassen."

Nach Genesis 8 und 9

➤ Wofür dankt Noach Gott?

➤ Gestaltet für euer Klassenzimmer einen großen Regenbogen.

T: Rolf Krenzer
M: Peter Janssens

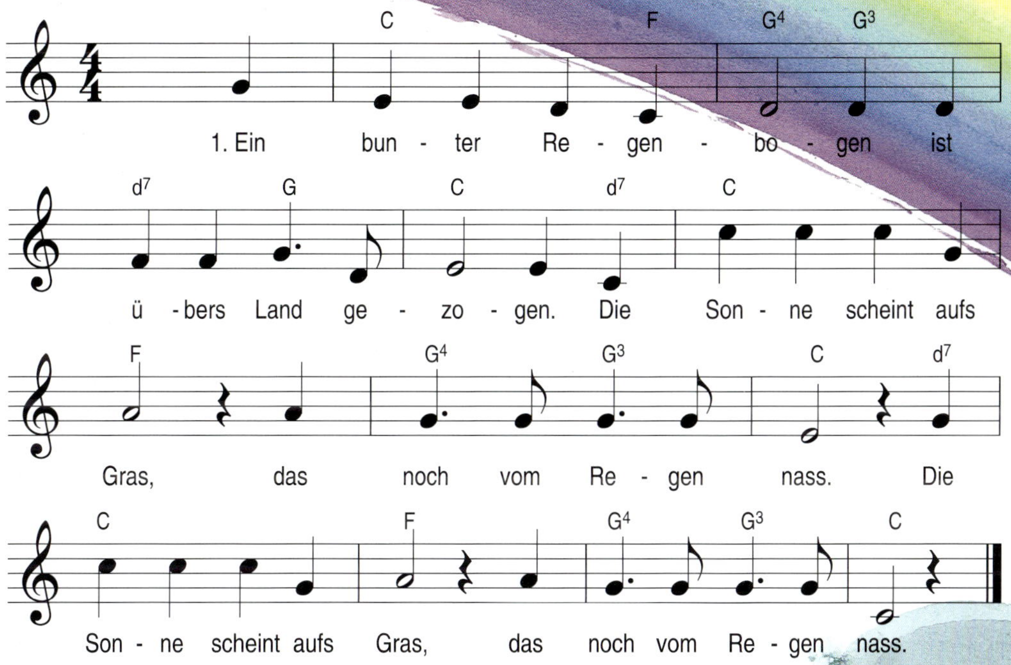

2. Ein bunter Regenbogen ist übers Land gezogen.
Und alle bleiben stehn, um ihn sich anzusehn.
Und alle bleiben stehn, um ihn sich anzusehn.

3. Ein bunter Regenbogen ist übers Land gezogen.
Damit ihr alle wisst, dass Gott uns nicht vergisst.
Damit ihr alle wisst, dass Gott uns nicht vergisst.

Interview mit einem Regenwurm

Gut, dass Sie da sind, Herr Regenwurm.
Wir reden gerade von der Erde. Sie wohnen in der Erde, dann kennen Sie sich wohl mit der Erde aus. Wir haben Fragen an Sie.
Zum Beispiel würden wir gerne wissen:
Woraus besteht Erde eigentlich?

Woraus die Erde besteht, wollen Sie wissen? Eigentlich besteht die Erde aus kaputten Steinen. In vielen, vielen Jahren ist Gestein zu Erde verwittert. Und dann besteht die Erde aus Pflanzen und Lebewesen, die verwest sind. Steine verwittern und Pflanzen verrotten. So entstehen Bodenschichten. Aber nicht von heute auf morgen. Ein Zentimeter Erdschicht wächst in einer Zeit zwischen 100 und 1000 Jahren!
Aber glaubt nicht, dass Erde nur Erde ist. Die Hälfte der Erde besteht aus Luft und Wasser, sonst könnte kein Wurm darin leben.

Michaels Zaubergarten

„Du, ich habe zu Hause einen Zaubergarten", sagt Michael und stellt sich ganz nah neben Kristina, die dabei ist, Verena beim Apfelsinenschälen zu helfen.
„Einen Zaubergarten?", fragt Kristina und blickt ihn erstaunt an.
Michael nickt. „Weißt du, wir haben doch keinen richtigen Garten, weil wir im Hochhaus wohnen. Und im sechsten Stock gibt es keinen Garten. Da hat meine Mutti für unseren Balkon einen großen, flachen Kasten gekauft. Den haben wir mit Blumenerde gefüllt."
„Aber das ist doch kein Zaubergarten!", meint Kristina. „Das ist ein richtiger Garten auf dem Balkon. Wir haben auch so einen. Wir haben dort Blumen gepflanzt. Sie blühen wunderschön."
Michael schüttelt den Kopf. „Solch einen Garten meine ich nicht. Bei uns ist das ganz anders. Wir sind im Sommer an die See gefahren und meine Mutti hat den Kasten mit der Blumenerde vergessen. Ehrlich, wir haben keinen Samen ausgesät und keine Blumen gepflanzt. Gar nichts. Wir haben den Kasten einfach vergessen."
„Na, dann pflanzt ihr eben jetzt ein paar Blumen dort hinein", sagt Kristina.
„Brauchen wir doch gar nicht!", ruft Michael und lacht ganz laut.
„Unser Blumenkasten ist wirklich ein Zaubergarten. Es wächst ganz viel darin. Und keiner von uns hat etwas gesät."
Jetzt ist Kristina wirklich sehr verwundert.
„Ganz einfach!", sagt Michael. „Mein Vater hat mir alles erklärt. Der Wind hat den Samen durch die Luft getragen. Sogar bis hoch hinauf in unseren sechsten Stock. Und weil es so viel geregnet hat, war die Blumenerde in dem Kasten immer schön feucht. Da ist der Samen im Blumenkasten aufgegangen. Und jetzt haben wir richtige kleine Pflanzen dort."

Die Schöpfung lobt Gott

Du höchster und großer lebendiger Gott.
Du hast alles erschaffen.
Lob und Dank sei dir.

Lob sei dir durch unsre Schwester Sonne.
Sie strahlt in großem Glanz,
bringt Freude und das Leben.

Lob sei dir durch unsren Bruder Mond,
und all die Sterne,
unendlich weit und groß.

Lob sei dir durch Wind und Luft und Wolken,
durch die du jenes nährst,
was du geschaffen hast.

Lob sei dir durch unsre Schwester Wasser,
sie ist uns zugetan
in Zärtlichkeit und Macht.

Lob sei dir durch unsren Bruder Feuer,
der uns die Nacht erhellt,
der kräftig ist und stark.

Lob sei dir durch unsre Mutter Erde,
die uns nährt und viele Früchte bringt.

Nach dem Sonnengesang des heiligen Franziskus

- Suche dir eine Strophe aus.
- Male dazu ein Bild und schreibe deine Strophe darunter.
- Dichte weitere Strophen.

Ein ganzes Jahr auf die Schöpfung achten

➤ Bastelt euren eigenen Umweltkalender.

APRIL

Fragt nach, woher die Eier kommen. Erkundigt euch, wie die Hühner gehalten werden.

MAI

Hört auf den Gesang der Vögel. Nehmt Vogelstimmen mit einem Kassettenrekorder auf. Bestimmt die Vogelstimmen.

JUNI

Sammelt Materialien wie Gräser, Steine, Rinden und legt damit einen Weg. Geht langsam, barfuß, mit geschlossenen Augen über diesen Weg (Fühlstraße).

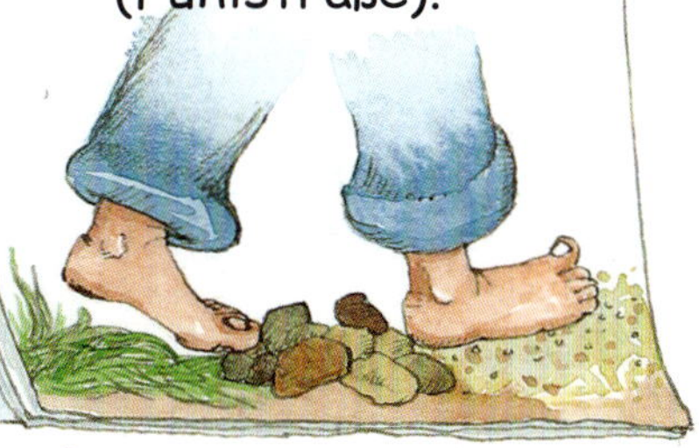

OKTOBER

Bringt Früchte mit für einen Erntedanktisch. Gestaltet eine Erntedankfeier.

NOVEMBER

Baut ein Winterquartier für Marienkäfer.

DEZEMBER

Besorgt Barbarazweige. Erkundigt euch, wie ihr sie pflegen müsst, damit sie blühen.

Seh ich die Erde –

– das Werk deiner Hände

Wenn wir mit Gott sprechen wollen ...

Am Morgen

Guter Gott, ich danke dir für die Nacht.
Ich bitte dich für den Tag:
Schenke mir viel Freude
und lass mich Schönes erleben.
Bewahre mich vor Unglück
und hilf, dass es keinen Streit gibt.
Segne mich für den heutigen Tag.
Amen

Guter Gott, die Nacht ist vorbei,
ich habe gut geschlafen.
Schenke mir heute:
viel Freude und gute Freunde,
viel Spaß und leckeres Essen.

Guter Gott,
heute morgen komme ich zu dir:
Ich danke dir,
denn du hast mich
in der vergangenen Nacht beschützt.

Ich danke dir,
denn du sorgst für mich und bist mir nahe.
Deshalb kann ich voll Freude
und Vertrauen in diesen neuen Tag gehen.
Vieles wird heute geschehen,
Gutes und vielleicht auch Schlechtes,
aber du bist bei mir,
du lässt mich nicht allein. Amen

Gott,
du bist bei mir alle Tage meines Lebens,
geheimnisvoll und nicht sichtbar,
doch nahe wie ein guter Freund.
Halte mich,
begleite mich in meinem Leben.
Zeige mir deine Nähe heute und alle Tage.
Amen

Vor dem Essen

O Gott, von dem wir alles haben,
wir preisen dich für deine Gaben.
Du speisest uns, weil du uns liebst.
O segne auch, was du uns gibst. Amen

Guter Gott,
das Essen ist bereitet
und steht auf dem Tisch.
Wir freuen uns und sind dankbar,
denn viele haben dafür gesorgt.
Gott, wir danken auch dir,
denn letztlich kommen alle guten Gaben
aus deiner Hand.
So bitten wir dich:
Schenke uns jeden Tag
unser tägliches Brot.
Amen

Für Speis und Trank,
fürs täglich Brot
wir danken dir, o Gott.

Am Abend

Der Tag ist nun zu Ende,
und leise kommt die Nacht.
Ich leg' in deine Hände,
was froh und traurig macht.

Bleib bei mir, guter Vater!
Lass mich geborgen sein.
In deinem reichen Segen
schlafe ich ruhig ein.

In der Schule

Gott,
segne unsere Klasse und hilf uns,
dass wir eine gute Gemeinschaft werden,
dass wir nicht gegeneinander arbeiten,
sondern uns helfen, wo wir können.
Gib uns Lehrerinnen, die Spaß vertragen
und die uns alles gut erklären können.

Alles, was wir heute tun,
fahren, spielen, lernen, ruhn,
soll geschehn in Jesu Namen
und mit seinem Segen. Amen

Lieber Gott,
manche Kinder
sehen anders aus als ich,
sprechen anders als ich,
essen anders als ich.
Aber
sie freuen sich
wie ich,
sie brauchen Freunde
wie ich,
sie haben Hunger
wie ich.
Du hast uns alle gern.
Lass uns einander gut sein. Amen

Was du noch beten kannst

Ich bin ich.
Mich gibt es nur einmal
auf der ganzen Welt:
mein Gesicht,
meine Haare,
meine Augen,
meine Arme und Hände,
meinen Bauch und Rücken,
meine Beine und Füße,
meine Stimme,
meine Ohren,
meine Gedanken und Gefühle.
Gott, du hast mich bei meinem Namen gerufen.
So nimm mich, wie ich bin,
und lass alle Menschen,
denen ich begegne,
so mit mir umgehen,
wie du es mit mir tust.

Guter Gott,
ich habe alles, was ich brauche:
die Luft zum Atmen,
Hände zum Greifen, Beine zum Laufen,
eine Stimme zum Sprechen und Singen,
Menschen zum Liebhaben.
Gott, ich habe gut lachen.

- Du findest im Religionsbuch auf vielen Seiten Gebete, zum Beispiel auf den Seiten 5, 10, 13, 15, 17, 34, 56 und 74.
- Für viele katholische Christen ist das „Gegrüßet seist du, Maria" ein weiteres wichtiges Gebet. Sie grüßen die Mutter von Jesus mit den Worten: „Gegrüßet seist du, Maria, voll der Gnade, der Herr ist mit dir ..." Sucht es im Gotteslob auf (2/6, S. 20).
- Die Gebete im Religionsbuch helfen dir, dir eigene Gebete auszudenken.
- Schreibe Gebete, die für dich wichtig sind, in dein Ich-Buch.

Mein Ich-Buch
Mein Name:

Kaufe dir ein dickes Heft mit einem schönen, festen Einband. Du kannst den Umschlag auch selbst gestalten.
Das Ich-Buch begleitet dich durch dein ganzes Schuljahr.
Du kannst in das Ich-Buch schreiben, malen, kleben, alles, was du möchtest, daheim und in der Schule, wenn du dafür Zeit bekommst.

Hier findest du einige Beispiele:

Ein Bild von mir: Ich verziere meinen Namen.
Das ist meine Familie: Warum ist sie mir wichtig?
Wer ist mir noch sehr wichtig?
Was gefällt mir an meinem Freund, an meiner Freundin?
Wann fühle ich mich wohl?
Ein Lied, das mir gefällt.
Ein Bild aus dem Religionsbuch und was mir dazu einfällt.
Welche Sätze aus dem Religionsbuch gefallen mir?
Eine Geschichte, die ich mir ausgedacht habe.
Was hilft mir, wenn ich Angst habe?
Wenn ich groß bin, werde ich ...
Was ich mir wünsche.
Ein schöner Tag, an den ich mich gerne erinnere.
Ich freue mich auf Weihnachten ...
Wie ich meinen Geburtstag feiere.

Sicher hast du noch viele Ideen.
Das Ich-Buch ist ein Buch für dich.
Du kannst es deiner Lehrerin/deinem Lehrer und deinen Eltern zeigen.
Bilder und Geschichten, die niemand sehen soll, lege in einen Umschlag.

Hast du Lust bekommen? Dann fang einfach an!

Quellenverzeichnis

4 Foto: P. Manfred Hornung, Abtei Münsterschwarzach
5 v.l.n.r.: Kösel-Archiv - IFA-Bilderteam, Frankfurt - In: Maschwitz, G. u. R., Gemeinsam Stille entdecken. Kösel-Verlag, München 1995
6 Kanon: Bernd Schlaudt, Walderns
7 Pablo Picasso (1881-1973), La Ronde de l'amitiée, 1959 © Succession Picasso/VG Bild-Kunst, Bonn 2014. Montserrat, Abtei-Museum. Foto: Artothek/Bridgeman
10 In: Detlev Jöcker/Rolf Krenzer, Wir kleinen Menschenkinder. Menschenkinder Musikverlag, Münster 1992
11 Mary Stevenson Cassatt (1844-1926), Mütterliche Fürsorge, um 1902. 92,1 x 73,3 cm. Mit freundlicher Genehmigung des Museums of Fine Arts, Boston. © 2000 Museum of Fine Arts, Boston. Alle Rechte vorbehalten. Geschenk von Aimée Lamb zur Erinnerung an Mr und Mrs Horatio A. Lamb 1970/252
12 Barrio La Viktoria/Valencia. Foto: Jürgen Escher, Herford
13 T/M: Franz Kett. Religionspädagogische Arbeitshilfen GmbH, Landshut
12/13 in: Bartos Burghard, Brotzeit. Geschichten um das tägliche Brot. Verlag St. Gabriel, Mödling-Wien 1997
15 Gertrud Lorenz, Singen und spielen. Verlag K. Wittwer, Stuttgart 1988, Str. 1 u. 5
16 v.l.n.r.: Foto: K. Schnabl, in: M. Jäggle/J. Dirnbeck, Du machst mein Leben schön (Religion 2), hg. v. Interdiözesanen Katechetischen Fonds, Wien 1995 - Kösel-Archiv - Foto: KNA, Bonn - Foto: Th. A. Naske, Krems, in: M. Jäggle/J. Dirnbeck, Du machst mein Leben schön (Religion 2), hg. v. Interdiözesanen Katechetischen Fonds, Wien 1995
17 unter Verwendung von: Das Perikopenbuch Heinrichs II. Tafel 45, Initialseite V. München, Bayerische Staatsbibliothek Clm 4452, fol 153r
18 v.l.n.r.: Foto: Peter Sanders, in: David Self, Weltreligionen. Brunnen Verlag, Gießen 1997 - Kösel-Archiv - Foto: Susanne Burton, in: David Self, Weltreligionen. Brunnen Verlag, Gießen 1997
19 v.l.n.r.: Fotos: www.altrofoto.de - Andrea Wirth, Hengersberg - John Williams Studios, in: David Self, Weltreligionen. Brunnen Verlag, Gießen 1997 - Andrea Wirth, Hengersberg
20 T: Psalm 113,3/M: Paul Ernst Ruppel. Möseler Verlag, Wolfenbüttel. - Foto: Hildegard Kronenberg-Lueg, Bochum
21 Keith Haring, Ohne Titel, 1981. 271 x 472 cm, Sumi-Tusche u. Acryl auf Papier. The Estate of Keith Haring, New York
22 T: Rolf Krenzer/M: Detlev Jöcker, in: Solange die Erde lebt. © Menschenkinder-Verlag, Münster
23 T/M: Jürgen Peylo, in: 100 einfache Lieder Religion, hg. v. Rolf Krenzer, S. 53/Nr. 59. Kösel-Verlag, München 1978
24 T/M: Robert Haas, Kempten
25 Ernst Alt, Josef, der Träumer, im bunten Rock
26 T/M: Robert Haas, Kempten
27 Ernst Alt, Josef in der Zisterne
28 T/M: Robert Haas, Kempten
29 Ernst Alt, Josef als Verwalter von Ägypten
30 T/M: Robert Haas, Kempten
31 Ernst Alt, Wiedersehen und Versöhnung
33 T/M: Robert Haas, Kempten
34 T: Rolf Krenzer/M: Ludger Edelkötter. © Impulse Musikverlag, Drensteinfurt
35 Nicolas de Staël (1914-1955), Himmel und Meer, 1954. 130 x 89 cm, Öl auf Leinwand. © VG Bild-Kunst, Bonn 2014. Privatbesitz
36 Max Bolliger, Weißt du, warum wir lachen und weinen? Verlag Ernst Kaufmann, Lahr 1900
37 Kindermissionswerk/Die Sternsinger, Aachen
41 Motiv 5 „Maria und Elisabeth" aus dem MISEREOR-Hungertuch 1990: „Biblische Frauengestalten - Wegweiser zum Reich Gottes" von Lucy D'Souza-Krone © MVG Medienproduktion 1990
43 Die Geburt Christi, aus dem Weihnachtsfenster der ehemaligen Klosterkirche Königsfelden, Glasmalerei, um 1315
44 T: Friedrich Spee/M: Paris 1599 / geistlich Köln 1638
45 Rembrandt van Rijn, Simeons Lobgesang, 1669. 99 x 78,5 cm, Öl auf Leinwand, Stockhholm, Nationalmuseum
46 Hirtenlegende, nach: Heriburg Laarmann/Annemarie Wolf, Das große Buch der Krippenspiele. Verlag Herder, Freiburg/Basel/ Wien 1997
48 Plakate 1998-2001. Kindermissionswerk/Die Sternsinger und BDKJ
49 Duccio di Buoninsegna, Jesus vor Pilatus. Ausschnitt aus der Maestà im Dom zu Siena, 1308-1311. © 1981 Verlag am Eschbach
50 T: Rolf Krenzer/M: Martin Göth, in: Jesus, Freund der Kinder. Studio Union im Lahn-Verlag, Kevelaer 1997
51 T/M: Detlev Jöcker, in: Das Liederbuch zum Umhängen. Menschenkinderverlag, Münster 1991
53 Die Heilung der verdorrten Hand. Evangeliar der Hitda von Meschede, um 1000-1020. Hessische Landes- und Hochschulbibliothek Darmstadt, Hitda-Codex, Hs 1640, fol. 114r
56/57 St. Simpert, Gerd von Stokar. Kath. Pfarramt Augsburg, 1986
59 Robert Delaunay, Formes circulaires, Soleil n° 1 (Kreisformen, Sonne Nr. 1), 1912/13. Wilhelm-Hack-Museum Ludwigshafen am Rhein © L & M Services B.V. The Hague 20100305
61 Foto: Anita Hofbauer, Rotthalmünster
62 T: Rolf Krenzer/M: Martin Göth, in: Jesus, Freund der Kinder. Studio Union im Lahn-Verlag, Kevelaer 1997
63 899 Friedensreich Hundertwasser, Bärnbacher Andacht 1987. 29,3 x 18 (46 x 40) cm, mehrfarbige Radierung. © 2014 Hundertwasser Archiv, Wien
66 In: Renate Ferrari, Wörter haben bunte Flügel. Christophorus Verlag, Freiburg 1998
68/69 Fotos: Josef Brückl, Aholming
69 Gotteslob Nr. 46. T: Rosemarie Habert, 1971/ M: Gerhard Blank, 1971
70 o: Foto: Anita Hofbauer, Rotthalmünster - u: Foto der Jordanquelle: Lothar Wiesner, „das thema" Nr. 28/86
71 Foto: Th. A. Naske, Krems, in: M. Jäggle/J. Dirnbeck: Du magst mich (Religion 1), hg. v. Interdiözesanen Katechetischen Fonds, Wien 1994
74 Foto: Werner Ehlen, Mintraching - Lied: mündlich überliefert
77 Marc Chagall, Schöpfung, 1960. 35 x 26 cm, Farb-Lithografie. Mourlot 234. © VG Bild-Kunst, Bonn 2014
81 Marc Chagall, Noah entsendet die Taube, 1931. 63,5 x 47,5 cm, Öl und Gouache. © VG Bild-Kunst, Bonn 2014
83 T: Rolf Krenzer/M: Peter Janssens, in: Kommt alle und seid froh. Peter Janssens Musik Verlag, Telgte 1988
84 In: Arbeitshilfe Religion für das 3. Schj. Calwer Verlag, Stuttgart 1997
85 Rolf Krenzer, in: Wenn Gott in unserer Mitte ist, Echter Verlag, Würzburg 1995
86 T/M: Konrad Raischl, in: Tanz der Schöpfung. Religionspädagogische Praxis Heft 1999/3. Religionspädagogische Arbeitshilfen GmbH, Landshut
87 Giotto di Bondone (1266-1336), Franziskus predigt den Vögeln, 1295/1300. Fresco, San Francesco (Oberkirche, Innenfassade), Assisi, Foto: Stefan Diller. AKG-images, Berlin
91 1-3 In: Hermann J. Frisch, Ich lache und ich springe. Patmos Verlag, Düsseldorf ^{3}2000; 4 In: ders., Unser Leben sei ein Fest. Patmos Verlag, Düsseldorf ^{5}1996; Gotteslob 16/8; 6-7 wie 1-3; 8 In: Ricarda Nissen, Ich komme zu dir. Echter Verlag, Würzburg ^{2}1999
92 **1** In: Hermann J. Frisch, Unser Leben sei ein Fest. Patmos Verlag, Düsseldorf ^{5}1996 (leicht verändert); **2** In: Hildegard Bogerts, Gott liebt mich, darum gibt's mich. Katechetisches Institut Trier, o. J.; **3** ebd.; **4-5** In: Hermine König, Was ich dir sagen will. Kösel-Verlag, München 1998